Claudia Ondracek wurde 1966 geboren. Nach ihrem Geschichtsstudium arbeitete sie jahrelang als Lektorin in einem Kinderbuchverlag. Anschließend machte sie sich als freie Lektorin und Autorin selbstständig.

Christian Zimmer wurde 1966 in Nordkirchen geboren. Er studierte Design in Münster und arbeitet seitdem als Grafiker und Illustrator. Wenn er gerade mal keinen Pinsel zur Hand hat, macht er gerne laute Musik.

Claudia Ondracek

Das kleine Burggespenst in der Schule

Illustrationen von Christian Zimmer

Die Deutsche Bibliothek – CIP-Einheitsaufnahme

Ondracek, Claudia:
Das kleine Burggespenst in der Schule / Claudia Ondracek.
Bindlach : Loewe, 2002
(Lesefrosch)
ISBN 3-7855-4147-3

*Der Umwelt zuliebe ist dieses Buch
auf chlorfrei gebleichtem Papier gedruckt.*

ISBN 3-7855-4147-3 – 1. Auflage 2002
© 2002 Loewe Verlag GmbH, Bindlach
Umschlagillustration: Christian Zimmer
Redaktion: Rebecca Schmalz
Reihengestaltung: Angelika Stubner
Umschlaggestaltung: Andreas Henze

www.loewe-verlag.de

Inhalt

Wieder mal zu spät

Die  im ![] der ![] schlägt zwölf ![]. Das kleine ![] Konrad schreckt hoch. „![]!", murmelt es und wühlt sich aus seinem ![].

„Schon wieder verschlafen."

Schnell zieht Konrad seine ![] an und saust die ![] hinunter.

Peng! Schepernd fällt eine  um.

Das  reibt sich den

und murmelt: „Hoffentlich wachen

die  nicht auf, die hier zur

gehen!" Konrad schwebt weiter.

Vorsichtig drückt das kleine

eine rostige hinunter. Die

quietscht trotzdem. Huipfui

schaut Konrad streng an.

„Du kommst schon wieder zu spät.

Die  beginnt für

genau um zwölf ", sagt Huipfui.

„Mein war so spannend",

stottert das kleine leise.

„Da hab ich nicht geschlafen,

sondern gelesen, bis die

unterging." Die anderen kichern.

„Seid still!", donnert Huipfui.

„Konrad, merk dir endlich:

schlafen tagsüber und lesen nicht."

Huipfui dreht sich zur .

„Wie können wir die hier

in der  erschrecken?

Konrad, was würdest du tun?"

Das kleine denkt kurz nach.

Dann pfeift es laut durch die

und klappert dazu mit der .

Die kleinen grinsen, und

der winkt ab: „Da zittert doch

kein mehr. Das muss richtig

gruselig sein. Überleg dir was!"

Ein Geistesblitz

Konrad blinzelt müde und schwebt

die  hinunter. „So seht ihr

also aus", sagt da plötzlich jemand.

Das 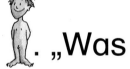 dreht sich erschrocken

um. Vor ihm steht ein 🧍. „Was

machst du denn hier?", fragt Konrad.

„Ist es etwa schon hell?"

Der  lacht: „Na klar! Nur hier

drinnen ist es so düster. Übrigens,

ich heiße Jan." Das kleine

kratzt sich am : „Auweia, dann

hab ich die ja völlig verpennt!

Ich bin Konrad. Und wieso bist du

nicht in der ?" Jan zuckt

mit den : „Ich soll im

aufräumen. Ich bin nämlich in

der eingeschlafen." Jan seufzt.

„Ich hab nachts einfach zu lange

gelesen. Aber das versteht

unser nicht, der schimpft nur.

Und die anderen lachen."

Das grinst: „Das kenn ich!

Komm mit, ich wohne im ."

Jan macht es sich auf Konrads

gemütlich. „Vor  fürchtet

ihr euch wohl gar nicht mehr?",

fragt Konrad. Jan schüttelt den :

„Nö, euch fällt doch nichts mehr ein,

was richtig gruselig ist."

„Warte mal", murmelt das

und legt los: Es lässt knarren,

alle klappern und rasselt dazu

mit seiner rostigen . Jan grinst:

„Das ist doch harmlos! Und wenn

ihr heult, stehen uns auch keine

mehr zu . Dir vielleicht?"

„Mir stehen sie sowieso zu ,

meint das kleine und fängt an

zu kichern. Erst leise, dann immer

lauter, bis der ganze dröhnt.

Jan zieht sich den über

die 👂 👂. „Hör auf", sagt er. „Das

klingt ja schauerlich. Wie ein ,

das mit seinen klappert."

Das kleine  staunt: „Wirklich?

Das ist es! Komm heute kurz

vor zwölf auf den .

Warte nur, Jan, den anderen

und zeigen wir's!"

Der große Lacher

Ungeduldig kauert das kleine

mit Jan hinter einer : „Hier hallt

es am besten", murmelt Konrad.

„Was hast du eigentlich vor?", fragt

Jan. Da schlägt die im

zwölf . „Kitzle mich mit der

am !", sagt das kleine .

Dann hält es sich ein

vor den . „Jetzt versteh ich,

was du vorhast", meint Jan und

legt los. Das kleine kichert.

Erst leise, dann immer lauter –

und bald lacht es aus vollem .

Es hallt von allen  zurück.

Hinter den gehen die

an. Das kleine  schwebt

schnell die hinunter.

Jan schleicht hinterher. Sie

verstecken sich hinter einem .

Wieder kitzelt Jan das  mit

der . Erst am , dann auch

an den  und am .

Konrad lacht immer lauter und gruseliger.  werden aufgerissen, und die schreien: „Hilfe! Hier spukt's!" Jan grinst. „Super! Endlich haben die anderen mal die voll!"

Das kleine lacht weiter, bis

die ganze dröhnt. Die

verstecken sich in und unter

den . Sie wimmern: „Das ist

bestimmt ein furchtbares !"

Da schlägt es ein . „Genug

gegeistert!", japst Konrad. „Ich kann

nicht mehr. Warte auf mich im ."

Dann schwebt er in die . Dort

sind schon alle  versammelt.

„Du kommst schon wieder zu spät",

sagt Huipfui streng.

Konrad schaut ihn erstaunt an:

„Aber ..." „Aber", unterbricht ihn

der sofort, „du hast toll gespukt!

Endlich haben sich die

mal wieder richtig gegruselt.

Deshalb hast du heute schulfrei!"

Konrad grinst und zeigt den anderen

eine lange . Auf der ![Treppe] stößt

er mit Jan zusammen. „Überall

brennen die ![Lampen]", sagt Jan.

„Die ![Kinder] fürchten sich immer noch.

Du warst echt super, Konrad!"

Oben im zündet das kleine

eine an. „Jetzt feiern wir, bis du

in die musst. Morgen sind

sowieso alle müde, weil keiner

ein zugemacht hat." Das

zwinkert Jan zu und kichert leise.

Die Wörter zu den Bildern:

 Glocke

 Treppe

 Turm

 Rüstung

 Burg

 Kopf

 Uhr

 Kinder

 Gespenst

 Schule

 Mist

 Türklinke

 Sack

 Tür

 Kette

 Lehrer

Buch

 Ohren

 Sonne

 Skelett

 Tafel

 Knochen

 Zähne

 Zinne

 Junge

 Feder

 Schultern

 Bauch

 Schulbank

 Megafon

 Haare

 Mund

 Berg

 Hals

 Mauern

 Schränke

 Fenster

 Betten

 Lampen

 Nase

 Vorhang

 Kerze

 Füße

 Auge

 Hose

Mit Bildern lesen lernen!

Julius Paul/Betty Sack/
Rooobert Bayer

Die Roten Raketen

- ⚽ stürmen los
- ⚽ sind unbesiegbar
- ⚽ starten durch

Claudia Ondracek / Jan Birck

Hexe Peperina

- 🧹 und das Kinderfest
- 🧹 und ihr Traumhaus
- 🧹 und der Weihnachtszauber
- 🧹 rettet den Zauberer
- 🧹 und die große Überraschung

Julia Boehme/Johanna Ignjatović

Die vier Detektive

- 🐱 Robby und die Detektive
- 🐱 Vier Detektive suchen den Dackeldieb

Loewe